Pour Thibaut, Quentin et Florian.
V. W.-G.

Pour Pierre-Étienne.
C. V.

Couverture : Delphine Humeau

© L'Élan vert, Saint-Pierre-des-Corps, 2015, www.elanvert.fr, dépôt légal septembre 2015 - Bibliothèque nationale 978-2-84455-369-0

Imprimé en Chine par - Loi n° 49-956 du 16 juillet 1949 sur les publications destinées à la jeunesse.

Les éditions de L'Élan vert bénéficient du soutien de Ciclic-Région Centre
dans le cadre de l'aide aux entreprises d'édition imprimée ou numérique.

çiçliç

La sieste

Valérie Weishar-Giuliani · Cécile Vangout

l'élan vert

La sieste, je n'aime pas trop ça.
M'amuser, c'est bien mieux.

Maman m'a préparé un nid douillet. Tous mes doudous sont là, bien installés.

— Viens, ils t'attendent mon poussin.

Je n'ai pas sommeil.

Je râle, je soupire,
je pleure.

Maman s'assoit à côté de moi. Bercée par une douce mélodie,

elle s'endort dans mes bras. Je ferme les yeux moi aussi.

J'ai soif, je veux un grand verre d'eau.

Couché dans le panier à linge,
plus rien ne me dérange.

J'ai peur,
il y a un vilain monstre
sous mon lit.

Gribouille est plus fort, il me protège.

Sa fourrure beige est si douce, on dirait de la mousse.

J'ai envie de faire pipi.

Je me cache dans ma cabane avec Julio mon petit âne.

C'est notre repère de petits corsaires.

J'ai trop chaud.

Je préfère regarder un livre avec papa tout blotti dans ses bras.

J'ai mal au coin de la tête,
au milieu du ventre,
au bout du doigt.

Je suis couché sur le canapé,

papa et maman chacun d'un côté.

Je veux encore un bisou.

La sieste, finalement, j'aime bien ça.

C'est chouette ! Croyez-moi.